U0081347

閱讀123

國家圖書館出版品預行編目資料

寄給貓巧可的信 / 王淑芬作 ; 尤淑瑜繪. -- 第一版. --
臺北市 : 親子天下股份有限公司, 2023.03
128面 ; 14.8×21公分
ISBN 978-626-305-415-8 (平裝)
863.596　　112000344

閱讀123系列 —— 096

寄給貓巧可的信

文｜王淑芬
圖｜尤淑瑜

責任編輯｜張佑旭
特約編輯｜廖之瑋
美術設計｜林子晴
行銷企劃｜翁郁涵

天下雜誌群創辦人｜殷允芃
董事長兼執行長｜何琦瑜
媒體暨產品事業群
總經理｜游玉雪
副總經理｜林彥傑
總編輯｜林欣靜
行銷總監｜林育菁
資深主編｜蔡忠琦
版權主任｜何晨瑋、黃微真

出版者｜親子天下股份有限公司
地址｜台北市 104 建國北路一段 96 號 4 樓
電話｜（02）2509-2800　傳真｜（02）2509-2462
網址｜ www.parenting.com.tw
讀者服務專線｜（02）2662-0332　週一～週五：09:00~17:30
讀者服務傳真｜（02）2662-6048　客服信箱｜ parenting@cw.com.tw

法律顧問｜台英國際商務法律事務所．羅明通律師
製版印刷｜中原造像股份有限公司
總經銷｜大和圖書有限公司　電話：（02）8990-2588

出版日期｜ 2023 年 3 月第一版第一次印行
2024 年 1 月第一版第三次印行
定價｜ 300 元
書號｜ BKKCD158P
ISBN ｜ 978-626-305-415-8（平裝）

寄給貓巧可的信

文 王淑芬　圖 尤淑瑜

目次

郵票

個人化郵票

附捐郵票

1

會說故事的郵票

有一種紙做的東西，小小的，大部分是長方形，只要把它貼在信封上，投進郵局的郵筒，郵差就會將這封信送到收件人那裡，連住在國外也行。

這枚小小的東西，叫做郵票；郵票上印著8，代表「面值」，就是八元郵資的意思。

貓巧可手裡拿著一枚貓咪郵票，貓小花與貓小葉看了之後雙眼發光，喊著：「郵票上的貓咪看起來好像在撒嬌。」

有些人收到信以後，會小心的剪下郵票，收集在集郵冊裡。甚至有人直

接到郵局買新的郵票，不是為了寄信，是為了收藏美麗的小小藝術品。

聽完貓巧可的說明，貓小葉有疑問：「如果我想告訴別人一件事，可以打電話，或是以電子信箱寄信。郵票應該沒有用了吧？」

貓巧可笑著說：「我比較喜歡收到信，這樣可以看好幾遍。而且我外婆寄給我的信，還有香香的薄荷味。聞著這樣的信，就像見到外婆。」

貓小花摸摸郵票：「我很喜歡這一枚郵票，可以送我嗎？」

貓巧可有想法了：「不如，我回家寫信，貼上這枚郵票，再寄給貓小花。」

「我喜歡！」貓小花的眼睛亮晶晶，頭上開出一朵粉紅玫瑰。「收到好朋友親筆寫的信，可以一直看，想到就看，比打電話好。」

貓巧可還預告，會在信上畫一隻眼睛裡有星星的可愛貓咪。

貓小葉也舉手大叫：「我也想收信，我從來沒有收過信呢。」

「你也可以先寫信給我，我再回信。」貓巧可回答。

「我最怕寫作文！」貓小葉皺起眉頭，連頭上的葉子都凋謝了。

貓巧可卻說：「如果不能把心裡的想法寫出來，等於沒有想法。」他拍拍貓小葉：「別擔心，想說什麼，就寫什麼。寫信就是快樂的作文課。」貓巧可又保證，一收到信，會挑選一枚色彩柔和、造型有創意的貓咪郵票貼在信封上，寄給貓小葉。

8
森林郵票

路過的貓小白聽見了，立刻說：「我也要！」跑開時，他還回頭說：「給貓巧可的信，我會貼上一枚大魚的郵票。」

不但如此，貓巧可還決定，下星期貓咪老師規定的「專題報告」，他的主題就訂為「有故事的郵票」。

「什麼是有故事的郵票？」貓小花與貓小葉跟著貓巧可走進他的房間，一面好奇的問。

「我有許多筆友喔，所以有不少有故事的郵票可以分享。」貓巧可解釋，筆友就是靠著寫信來往的朋友，大部分都沒見過面，有些住得很遠，比大象村還要遠。

「請看我的郵票收藏。」貓巧可打開他的集郵冊，指著其中幾張圖案，說：「這一枚是我住

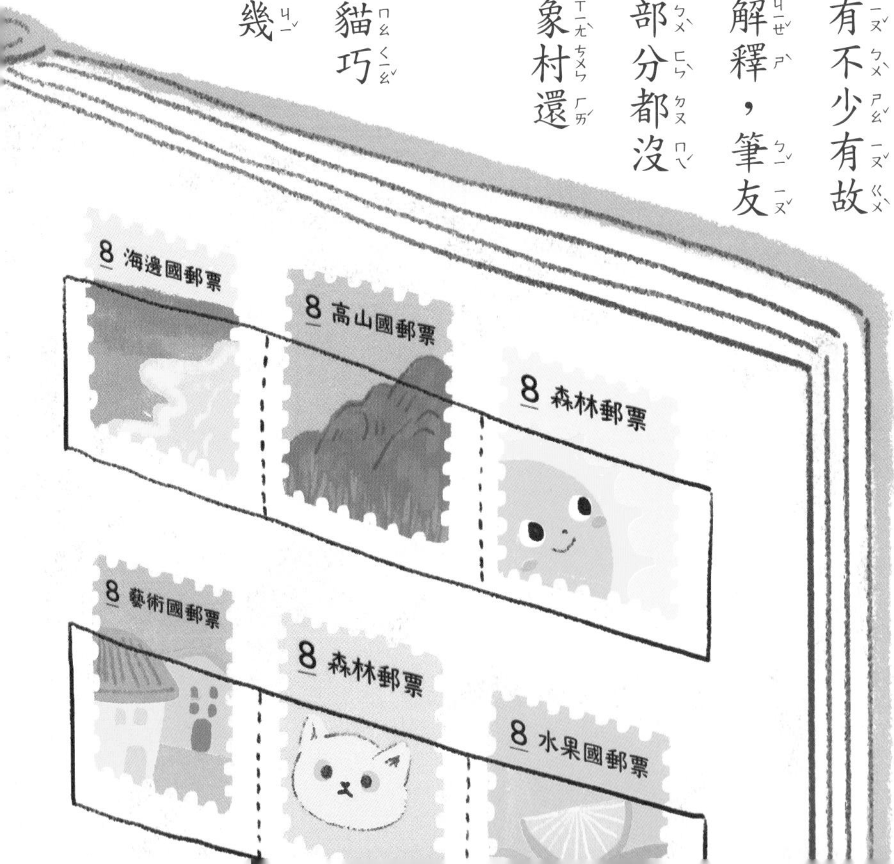

在海邊的筆友寄來的，郵票印的圖是人魚公主，這是海邊國最有名的童話故事。」郵票裡的人魚公主，長長頭髮在珊瑚與海藻間漂動，美麗的魚尾彎彎的，看起來好浪漫。

還有一枚郵票是高山國筆友寄的，印著一個巨人推著大石頭，往山上推去，表情很痛苦。貓巧可加上解說：「這是高山國流傳已久的神話，巨人因為幫助人類，被天神處罰每天推巨石上山，但是到達山頂後，巨石又滾下山，只能重來，一次又一次推石頭。」

30 高山國郵票

貓小葉聽得入神，覺得巨人好可憐。貓小花則說：「沒想到從郵票上也可以認識別的國家，讀到我不知道的故事。」

專題報告時，大家都被貓巧可的郵票吸引，尤其是他展示的兩枚貓咪郵票。兩隻都穿著靴子，可是一隻很胖，另一隻瘦瘦的。

這是「穿靴子的貓」童話，老師之前有拿書讀給全班聽。貓巧可分享的是他的新發現：「同樣的情節，透過不同畫家的想像，會呈現不同面貌。」

7 故事國郵票

5 童話國郵票

貓小歪說：「我認為這篇故事裡的貓應該很瘦，因為他好忙啊。」

貓小白的意見相反：「但是故事裡的貓，後來與王子過著豪華的生活，吃美食大餐，會變胖。」

貓小花則說：「我認為瘦弱的貓沒有說服力，因為他對別人說：我的主人很富有。富人家的貓怎麼會瘦弱？」這個說法連貓咪老師都點頭同意。

貓巧可的故事郵票，獲得全班同學的熱烈掌聲。貓咪老師決定：「下學期起，我們增加一堂寫信課。可以練習寫作能力，還能寄出去問候親友。」

貓巧可為貓小葉打氣：「寫信是最簡單的寫作練習。而且收信的親朋好友不會為你打作文分數，不必緊張。」

最重要的，還可能收集到遠方有故事的郵票。連平時不太愛寫作的貓小歪，都雙眼發光、充滿期待的說：「真希望能收到一封信，貼著奇怪郵票。」

寫信就是在寫想法，貓小葉卻想到另外一個問題：

「把想法全部寫出來好，還是只寫一部分，其他的藏在心裡比較好？」

給
貓小歪♥

2
我變主角啦！

貓巧可最近很頭痛，因為貓小葉常常跟他說：「大象先生在門口。」等到貓巧可想開門時，貓小葉立刻哈哈大笑：「騙你的！」

貓小花瞪弟弟一眼，很生氣：「這不是遊戲，是不誠實，說謊的孩子鼻子會變長。」

貓小葉卻說：「說謊的孩子鼻子根本不會變長，你說謊。」

貓小花生氣了：「這只是比喻。」話還沒說完，貓小葉又大叫：「大象先生在門口。」

沒想到，這回聽到的是大象先生在門口的聲音：

「騙你的！」

貓巧可與貓小花、貓小葉連忙去開門，發現大象先生真的站在門外，還加上補充：「不只有我，還有小螞蟻。所以正確說法應該是：大象先生與小螞蟻在門口，這樣才不是騙人。」

門太小，大象先生進不去，所以他們坐在屋外的草地上聊天。小螞蟻在大象先生的鼻子上，開心的說：「我來講個笑話；大象鼻子長，因為沒說謊。」

貓小花皺眉：「不好笑。」

不過，其他人反而都笑了。

大象先生的鼻子上捲著一個東西，仔細看，是一封信。「我有一封信要寄給貓巧可。」大象先生說。

貓小葉反對：「你親自送來，不叫寄信，是送信啦。」

大象先生卻說：「因為貓巧可是我最要好的朋友，所以才親自送信。」

貓巧可打開信封，讀著信上的字：

這算什麼信嘛。

小螞蟻大聲喊著：「我也有信要給貓巧可。」信裡面只有一片落葉。

「這兩封信的內容一點都不重要。」貓小葉搖頭。連大象先生都同意：「沒錯，不重要。」他說明：「因為，信封上貼的郵票比較重要。」

原來，他們只是想讓貓巧可欣賞郵票。兩封信上貼的，並非平時見到、郵局專用的郵票。

大象先生的信封，貼了九張郵票，正好拼成他的全身照；小螞蟻的信封，貼的則是小螞蟻本人的相片郵票，還穿著西裝呢。

貓巧可點點頭：「原來你們訂做了個人化郵票。」

平時如果想寄信，必須購買森林郵局賣的郵票，貼在信封上，黑熊郵差會幫大家送到指定的地方。近來由於寫信的人愈來愈少，郵局決定開辦「個人化郵票」，將每個人的照片或自己設計的圖案，製作成獨一無二的郵票，好寄給想念的親友。

貓巧可張大眼睛說：「這兩封信我得好好收藏，因為這種郵票很珍貴。」

的確，郵局平時賣的郵票，圖案都相同，個人化郵票卻與眾不同，別處買不到。

大象先生還分享他訂製郵票時的趣事。

「我拿著照片去郵局時，第一次印出來的郵票失敗了。」想也知道，大個子身體要放進小小郵票中，不容易。

森林 001 郵局

「印好的郵票，原本漂亮的大眼睛只剩一個小黑點，更別說還得將鼻子捲成一小圈。不夠帥氣！」大象先生回想起來，還氣呼呼的。

幸好，個人化郵票就是要滿足每個人不同的喜好；經過討論，郵局建議把郵票做成九張，像拼圖式的將大象先生排列組合起來。最後的作品很成功，這應該是全森林最有特色的郵票了。

貓小花忍不住說：「好想買這張郵票啊，我想開始收集有趣的郵票。」

林 郵局
森林 058 郵局
號碼牌
058
存款簿

大象先生很得意：「沒問題，我送你一套。」

「我的個人化郵票也很瀟灑。」小螞蟻抗議，覺得大家都忽略他。貓巧可低下頭，客氣的說：「謝謝你，我喜歡你穿上西裝的樣子，看起來很正式，像個有學問的專家。」

小螞蟻頭抬得高高的，很神氣的回答：「當然，我是撿落葉的專家。」他還提醒大家，給貓巧可的落葉信，是香香的薄荷葉。

貓巧可想到一個好主意：「下個月是我媽咪生日，我來訂製個人化的生日郵票，貼在邀請卡片上，寄給親朋好友。」

這封信，一定很吸引人。連貓小花都高聲說：「別忘了寄給我，這張郵票具有紀念性。」

媽咪生日的個人化郵票，要放入什麼圖案，才適合送給所有人？大家想看到年輕時的媽咪，還是現在有一點點老的媽咪？年輕與老年、過去與現在，什麼時候比較可貴？貓巧可覺得這是一個值得動腦思考的好問題。

3+1 森林郵局
6+1 森林郵局
2+1 森林郵局

6+1 森林郵局

森林郵局
6+1 森林郵局

3 寄信還能做好事

大清早，貓咪小學便聽見快樂的笑聲，因為上午的課很特別，貓咪老師要帶全校學生到森林圖書館。

老師宣布：「上個月剛開幕的圖書館，邀請我們去聽故事大王講故事。」

大家都興奮得喵喵大叫。誰不喜歡聽故事呢？故事大王是誰？一定有滿肚子好聽的故事吧。

貓小葉的頭上長出一片綠油油的葉子，特別開心：「我是聽故事大王。可惜，姐姐今天請假，沒來上學。」

森林圖書館

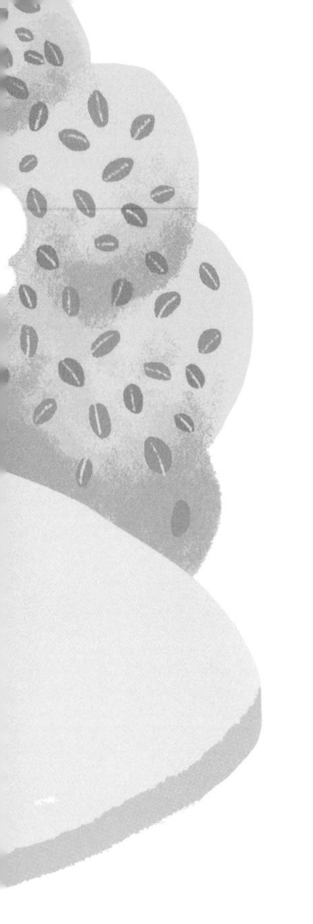

誰知道，一走進圖書館，竟然發現貓小花坐在「故事廳」的前面，頭上開出一朵金色的玫瑰花，可見她比任何人都高興。原來，她就是故事大王。

貓巧可坐下來，跟所有人一起專心聽故事。貓小花笑著介紹：「今天我要講的故事是我從俄羅斯童話中讀到的，叫作《小弟弟與小姐姐》。」

小弟弟
與
小姐姐

「是在講我和你嗎？」

貓小葉以為姐姐讓自己成為故事主角。不過他猜錯了，故事裡的弟弟喝了有魔法的水，變成小鹿，幸好他的姐姐又讓他變回來。

「真好聽！」大家都要求故事大王再說一個。貓小花很輕鬆的說：「沒問題，我接下來要講的故事名叫《三個問題》。」

從前有位國王想知道三個問題的答案，於是到森林請教一位有智慧的人。三個問題是「什麼時刻最重要？需要跟誰好好相處？該做什麼事？」

貓小花果然是說故事大王，表情不但十分豐富，還

加上簡單的動作，所有人都聽得目不轉睛。

故事最後，智者終於針對國王的三個問題給答案了。

聽完故事，還知道三個問題的答案，大家都拍手，覺得故事不但好聽，又有學問。貓小葉大喊：「我以後要常常來圖書館，聽故事大王講故事。」

貓小花平時愛讀故事書，的確有許多故事可以分享。可是，她卻嘟起嘴抱怨：「圖書館目前的書，大部分我都看過了。」可是，圖書館的館長表示，因為經費不夠，沒錢再買更多新書。

貓咪老師說：「我們也來思考當下、眼前、現在的問題。貓巧可，你有想法嗎？」

圖書館需要買更多新書，怎麼辦？貓巧可想了想，說出答案：「不如，我們邀請大家捐款買書，因為買來的書，大家都能看，所以，也算是捐給自己。」

所有人都同意這個方法。只是，總不能捧著捐款箱，到各家門口去要錢，好像怪怪的。

貓巧可建議一個更好的做法，而且一舉兩得。他要去森林郵局，跟局長好好討論。

幾天後，貓巧可帶著一大盒郵票到學校。貓咪老師接過一套郵票，看得眼睛都發亮了，說：「這四枚郵票真美，而且，就是貓小花在圖書館說的故事。」

3+1 森林郵票
3+1 森林郵票
3+1 森林郵票
3+1 森林郵票

真的耶，大家都發現了，郵票上印的圖案，正是「三個問題」的情節。貓咪老師點點頭，很滿意：「這種有故事的郵票，我一定好好珍藏。」

可是，這樣有解決圖書館的問題嗎？貓巧可解釋：「請看郵票上印的數字，寫著3加1。」前面的3，是郵票的面值，也就是寄信用的郵資，後面的1，用來捐給圖書館。

3+1 森林郵票

「這個點子太妙了，果然一舉兩得。」貓咪老師告訴大家，這叫「附捐郵票」，不但可以寄信，還可以捐款做好事。她鼓勵大家最近多多寫信，買附捐郵票貼上，寄給親朋好友。一來增加捐款收入，二來讓收信的人欣賞精緻的郵票，順便認識一則古老童話。

貓小花說：「我要買一百套附捐郵票，寄給一百個朋友。」光是螞蟻小學，她就有七十位好朋友喔。

附捐郵票一舉兩得，可以寄信，又能做善事。可是，貓小葉有煩惱：「我的零用錢很少，怎麼辦？」

貓巧可提供他自己的經驗：「我曾經請爸爸幫忙，把看過的書放在網路拍賣，讓書被好好利用，又能賺到一點錢。」

貓小葉好開心，頭上開出一片綠葉：「我趕快回家整理，有許多玩具可以拍賣呢。」

4 灰姑娘的祕密計畫

「什麼？又來了！」森林郵局的黑熊郵差，看到眼前一堆信，眼睛瞪得又大又圓，快冒出火來了。因為，這些信封上都被郵局局長貼上「欠資郵票」。

黑熊郵差說：「雖然可以根據欠資郵票的金額，向收件人收錢，但是有些人不想付這筆錢啊。」

局長也苦笑：「不知道這些神祕的信是誰寄的？」

不但沒有貼上郵局賣的、用來寄信的合格郵票，還被寄信的人畫上假郵票。

雖然每封信上畫的假郵票挺用心的，不但色彩豐富、圖案美觀，而且所有的郵票都沒有重複。一枚又一枚的假郵票，倒像是一幅又一幅的藝術品。

黑熊郵差嘆口氣：「我還是趕快將信送出去吧。」只要收信的人願意補足郵票的錢，便能收下信。郵局正確做法應該是直接將信退回，問題是這些信根本沒有寫「寄件人地址」，無法退回啊。其實，郵局裡已經堆滿「不想收」的信，大家都認為這一定是惡作劇。

今天的收信人是貓巧可、貓小花與貓小葉，正好三個人都在貓巧可家喝下午茶。貓小花看著貼著假郵票的信，眼睛也冒火了，大喊：「我不收！」

30

貓巧可看著信，卻笑著說：「沒問題，我願意補足金額。」付過錢後，黑熊郵差便將信交給貓巧可。

貓小葉被激起好奇心了，說：「我也要收信。」

三個人都收下信，立刻打開。黑熊郵差在旁瞪大雙眼，等著揭曉神祕的寄信人是何方神聖？

「原來是……」

「竟然是……」

貓巧可也笑了：「我猜得沒錯，是灰姑娘。」他還補充：「這種假的郵票，其實就叫做灰姑娘郵票。」

「為什麼？」貓小花與貓小葉不懂。

貓巧可分享他所知道的郵票知識：「這一類看起來像郵票，卻非郵局發行的郵票，被叫做灰姑娘郵票；意思是它們就像童話故事裡的可憐女孩，地位比真正的貴族矮一截。」

「灰姑娘郵票一定要由灰姑娘來畫嗎？」貓小花還有疑問。

「並非如此。」貓巧可耐心的說明。「不是郵局正式發行的，就叫灰姑娘郵票。灰姑娘郵票可能是某個團體印刷的，或自己畫的。」比如，貓巧可的集郵冊裡，有一枚印得精美的詩集郵票，是去年買的，由森林書店印製。目的不是用來寄信，是讓買詩集的人，順便收藏一枚灰姑娘郵票當紀念。

貓小花也想起來：「我家有一大張印著世界名畫的郵票，但媽媽說不能用來寄信，原來也是灰姑娘郵票。」那是媽媽去看畫展時買的紀念品。

不過，貓巧可說：「現在有灰姑娘親自畫的灰姑娘郵票，更珍貴了！我一定要好好收藏。」

只是，灰姑娘已經嫁給王子，住在遠方的城堡裡，為什麼要寄信給森林裡的陌生人，還一張張的畫上假郵票？畫這些郵票，得花不少時間。

「最好的方法，就是寄封信給灰姑娘，邀請她來說清楚。」貓巧可建議。貓小葉也開心的提議：「這封信不要貼郵票，換我來畫假郵票。」

灰姑娘 收

幾天過後，灰姑娘真的坐著馬車來森林拜訪大家了。最妙的是，她又帶來一堆明信片，說是邀請卡，而且，一樣沒貼真郵票，而是畫著「灰姑娘郵票」。

為了歡迎遠方的客人，貓咪小學特別在操場安排一場「灰姑娘郵票說明會」。全校的小朋友躺在暖洋洋的草地上，興奮的等著。貓咪老師也精神飽滿、坐得挺直，準備好好聽講。

貓咪老師悄悄的告訴身邊的貓巧可：「我一直在收集郵票，卻沒收藏到灰姑娘郵票，真是可惜。」

看來，等一下貓咪老師會向灰姑娘請求，也送她一張貼著「灰姑娘郵票」的信。

娶了灰姑娘的王子很有商業頭腦，在全國販賣玻璃鞋，讓所有的女孩穿上以後，覺得自己也變身為幸運公主。所以，灰姑娘一直是玻璃鞋的代言人，今天也穿著亮晶晶的透明鞋子走上演講臺。

灰姑娘郵票
說明會

首先，灰姑娘向大家道歉：「對不起，沒貼郵票的信件，造成大家困擾。」她又解釋：「我畫這些假郵票，畫得太專心了，完全忘記要寫城堡的地址。」

經由她的說明，大家才知道，神祕事件是為了一場美術展覽。本來，按照計畫，這些信件被蓋上「欠資郵票」後，應該全部被退回，灰姑娘打算收齊後，在美術館舉辦「被退回信件的灰姑娘郵票展」。

灰姑娘郵票
說明會

貓咪老師忍不住拍起手來，笑咪咪的說：「太有趣了。灰姑娘本人畫的灰姑娘郵票展，這種展覽真有創意啊！」

的確，如果只是舉辦「郵票畫展」，根本沒有魅力招來參觀者；但是展覽被寄出又退回的完整信封，才獨特。當初這些信，是美術館館長親自帶來，投進森林郵局的郵筒裡的。

森林美術館
被退回信件的
灰姑娘郵票展

灰姑娘又繼續說：「大家別以為灰姑娘郵票只能用畫的，其實，大部分都是印的。比如我住的城堡在慶祝一百週年時，也印製灰姑娘郵票，送給大家。雖然不能真的用來寄信，卻是很好的紀念品。」

可是，灰姑娘為何要寄信給森林裡的人？

100
100週年紀念

灰姑娘看著貓巧可，微笑著說：「聽說，任何人有問題，都會去問貓巧可。我的問題是，本來每天有做不完的家事，嫁給王子後，反而覺得有點無聊。」

所以，灰姑娘寫信問過貓巧可後，貓巧可便回信，

提議灰姑娘發展藝術興趣，比如畫圖就是很好的活動。

貓巧可只能苦笑：「我建議你畫圖，可沒建議你畫灰姑娘郵票啊。」

貓小花也說：「雖然灰姑娘畫的郵票很美，可是，這樣會增加郵差的麻煩。」

灰姑娘不好意思的說：「所以，我今天要向森林郵局鄭重的道歉，而且我會買下所有的附捐郵票，為森林盡一份心。」

貓小葉還有疑問：「為什麼有人想收藏不能寄信的灰姑娘郵票？那只是假的郵票啊。」

5 童話國郵票

5 貓小歪的畫掛反了

上星期，灰姑娘租了一部大車，邀請貓咪小學全體師生參觀「灰姑娘郵票美術展」。回到學校以後，貓咪小學的孩子們，你一言我一語的說：「畫得好精緻。」、「我也想畫圖。」、「我們也可以舉辦圖畫展覽嗎？」

貓咪老師眼睛一亮，覺得這個建議很好：「把我們美術課畫的作品，好好整理一下，利用假日，邀請親朋好友們來參觀。」

森林美術館

貓小葉好高興，頭上長出一片大葉子，隨著他雀躍的心情搖來晃去。他還說：「我想將我的圖，掛在最明顯的位置，媽媽一進展覽會場，立刻看到。」

貓小歪卻說：「我也想將我的圖，掛在媽媽一眼就看到的好地點。」

全班吵起來了，大家都希望自己的畫，能被重視。

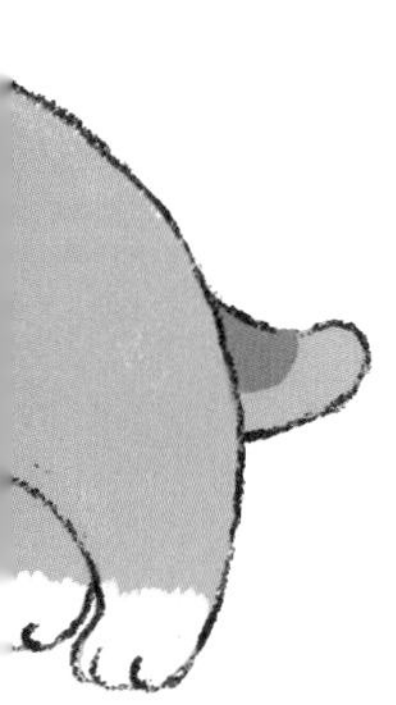

　　貓巧可舉手發言：「讀一年級的第一天，放學時媽媽來接我回家。一大群小朋友在校門口擠成一團。可是，我的媽媽馬上就找到我。」

　　貓小花想起這件往事，覺得被媽媽一眼就看見，好甜蜜，頭上開出一朵紅色玫瑰花。貓小白、貓小黑一起大喊：「我媽媽也是！」

　　大家都懂了，貓巧可的意思是，不論被掛在哪裡，親愛的媽媽必定先看見寶貝小孩的畫。

貓小葉自動自發的提議：「我可以幫老師掛這些圖畫。」

貓咪老師笑著同意：「沒問題。請大家下週交作品，我來裝上畫框。」

她還請大家畫一張有特色的邀請卡，寄給森林裡的朋友。貓小花更開心了，馬上有計畫：「我的信封上除了貼郵局正式的郵票，還要貼一張我設計的美術展專用郵票。」

「我也要！」同學們都大叫。大家都記得這類不能用來寄信的郵票，名叫「灰姑娘郵票」，加貼在信封上，反而有特殊的紀念價值。

貓咪小學
美術展

「貓咪小學美術展」開幕的那一天，學校好熱鬧。而且所有人的爸爸媽媽，一進會場便立刻走到自己孩子的作品前，笑咪咪的欣賞許久。

忽然，聽到一聲慘叫：「哇！我的畫被掛反了。」

是貓小歪的作品，他都快哭了，很生氣的說：「是誰掛的呀？竟然把我的圖掛成上下顛倒。」

貓小葉走過來，也快哭了，他不好意思的道歉：

「是我掛的，對不起。」

好多同學圍過來看。貓小花說：「其實，如果貓小歪沒說，我根本不知道這幅畫被掛反了。」

因為，貓小歪這張圖是海邊的風景畫。天空像大海，大海也像天空，上下顛倒似乎沒差別呢。

貓咪老師連忙把貓小歪的圖掛正，也安慰貓小葉：「不要難過。」她還說：「正巧我的辦公室裡，有一枚特別的郵票，也被印得上下顛倒。」

這句話吸引了所有參觀者的注意，全都想看。趁著貓咪老師去拿郵票時，貓小花拍拍貓小葉的頭，小聲說：「我認為貓小歪這張圖，倒著掛比較好看。」逗得弟弟笑了，頭上又長出一片葉子。

貓咪老師拿來的郵票，果然很特別，是全套郵票，共有九枚，印著一個國王的頭像。只是，圖是正的，國王的名字卻印成上下顛倒。

「這種不小心被印錯的郵票，很稀奇喔。」貓咪老師說明。「在收集郵票的人都知道，這種顛倒郵票，是世界上最貴的，而且往往有錢也買不到。」

5 童話國郵票
王子
5 童話國郵票
王子
5 童話國郵票
王子
5 童話國郵票
王子
5 童話國郵票
王子
5 童話國郵票
王子
5 童話國郵票
王子
5 童話國郵票
王子
5 童話國郵票
王子

因為，一時疏忽印錯，不僅沒被發現，還被賣出去又寄走，這種事發生的機會太少了。所以，顛倒郵票雖然是印錯的瑕疵品，卻成了難得一見的珍貴收藏。

貓巧可問：「這張顛倒郵票老師花多少錢買的？」

「我一輩子也買不起。」貓咪老師的答案充滿溫暖回憶。「這是我家的傳家寶，是爺爺的爺爺的爺爺，當年好不容易收集到的，如今已經身價百倍，不過當然是非賣品。我們全家都喜歡收集郵票，常聚在一起交換郵票，還會聊郵票的話題。」

圍坐著聊天，欣賞彼此收藏的郵票，這是多麼珍貴的家族記憶。大家聽了，都露出笑容。

貓小葉還說：「我也想開始收集郵票。」姐姐貓小花已經收藏十枚不同的郵票呢。

貓小歪忽然又大叫：「老師，我可以將我的作品，重新掛成上下顛倒的樣子嗎？大家都擺正，只有我的是歪的，這樣才珍貴。」

貓巧可問大家：「故意擺歪，跟不小心掛顛倒，一樣嗎？」將郵票故意印錯，或不小心印錯，還銷售出去，兩種情況一樣珍貴嗎？

作者的話

寫信是表達思考的最佳練習

童年時，爸爸送我一本集郵冊，裡面有他多年的收藏，多數是他小心剪下朋友來信貼的郵票。長大後再度接觸集郵，是因為２０１３年法國發行一套郵票，是我喜歡的繪本作家畫的圖，圖案則來自法國著名諺語。這可大大引起我的收藏欲望，上網購買之後，又找到更多與兒童文學相關的各國新、舊郵票，也不貴，於是集郵冊又再度復活。

這本書除了期待喚起大家親手寫信、寄信收信的溫暖，也介紹郵票的有趣故事，畢竟現代孩子對郵票一定更加陌生。我常想，如果孩子收集到的郵票，正巧是他讀過的故事，絕對更有故事可說；還可以貼在書的扉頁當作藏書票，加深孩子對閱讀的感情。

〈有故事的郵票〉說的是郵票上的圖案設計，常以各國最具代表性的童話或民間故事當做主題，比如臺灣發行過「媽祖出巡」的郵票。〈個人化郵票〉臺灣郵政便有此服務，我父母七十大壽那一年，我家就印製百套送給親友呢。〈附捐郵票〉中介紹的附捐郵票，臺灣也曾經因為救災發行過。〈灰姑娘郵票〉很特別，它「長得像郵票、卻不能真的用來寄信」，是集郵界很特別的收藏，它的種類很多，例如臺灣發行過「紅十字會郵票」，是用來協助慈善事業，也屬於此類。至於〈顛倒郵票〉中提到的「印壞的郵票」是集郵界珍貴的收藏；最知名的是美國1918年發行的航空郵票，其中有一些成品，不慎被印成「飛機圖案上下倒置」；雖被銷毀，但仍有一百枚流出，成為收藏家追求的夢幻逸品。

當我開始以「童書郵票」作為主題收藏，不但開闊視野，知道許多我沒聽過，但在它的國家卻是家喻戶曉的故事（所以才會被發行郵票）；也在溫習各年代經典文學郵票中，享受文學帶給我的喜悅與心靈滿足。方寸童書郵票，真是一座文學與美學的小巧博物館。

不過本書最重要的意圖，是希望藉著認識郵票、買喜愛的郵票貼在信封、寫信寄出，開啟寫作練習。許多孩子看似懂很多，有時也能侃侃而談，但是要他寫下來，就沒興趣，或是根本無從下筆。寫信因為有對象，通常是親朋好友，所以既實用又輕鬆，是沒有負擔的寫作私密課程。因此故事裡除了希望引發思考、欣賞郵票，更期待孩子們從會思考，進化到「將思考力轉化為表達清楚的寫作力」。

最重要的，寄信並等待回信，也是十分溫暖的社交練習。手寫的問候，會帶給人不一樣的情誼感受喔。

貓巧可給小朋友的信

親愛的小朋友：

讀完這本書，你是不是對寫信有更多認識了呢？

書的最後有一張貓巧可信紙，請你找一個對象，把想對他說的話寫下來。

信的內容，該寫些什麼呢？可以參考以下主題喲！

1. 感謝。比如大象先生常寄蟑螂口味的糖果請我吃。我收到後，會馬上寫信謝謝他。

2. 道歉。比如我向鄰村的小狗哥哥借了一本書，卻一直忘了還。想起來後連忙寄回去，並且附上一封道歉的信。

3. 祝福。比如大象先生打電話告訴我，他摔跤住院了。我趕快寫封信，祝他早日康復。

此外，想念遠方的親友、有問題想請教別人、不好意思當面對某人說「我好喜歡你喔」……，也可以用寫信的方式，來好好說明。

寫好之後，請參考下面的步驟圖，利用附件1做出貓巧可信封，寫上收件人；貼上自己設計的「灰姑娘郵票」（附件2）也很有趣。但是如果要寄出的話，別忘了一定要寫上收件人地址，以及買真的郵票貼上去，不然會像灰姑娘一樣給郵差帶來煩惱哦。

相信你現在已經準備好了，開始動筆寫信吧！

貓巧可 信紙變信封

1 菱形的兩側沿紅色虛線向後摺。

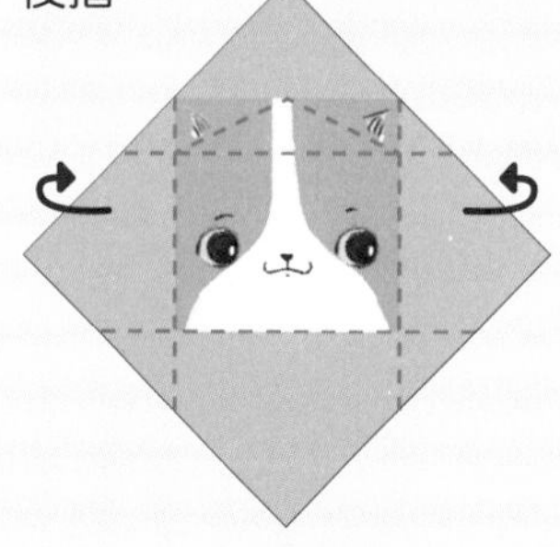

2 翻至背面，上端三角形往下摺。

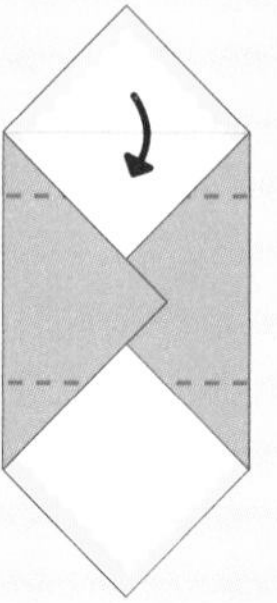

3 沿著下方紅色虛線往上摺。

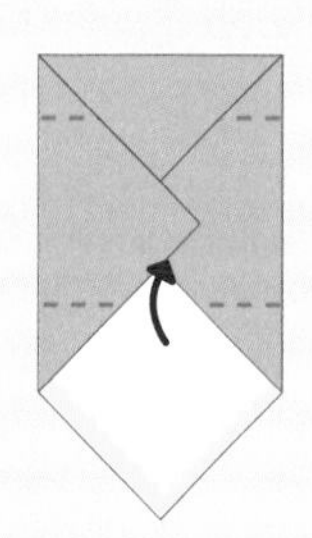

4 沿上方的紅色虛線往下摺。

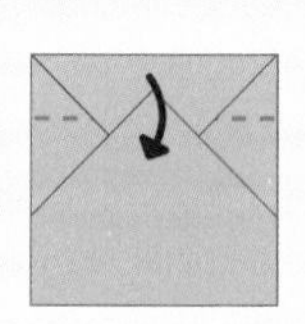

5 兩邊耳朵沿紅色虛線往上摺，完成。